中华人民共和国国家标准

型钢轧钢工程设计规范

Code for design of section steel hot rolling mills

GB 50410 - 2014

主编部门：中　国　冶　金　建　设　协　会
批准部门：中华人民共和国住房和城乡建设部
施行日期：2　0　1　5　年　8　月　1　日

中国计划出版社

2014　北　京

中华人民共和国国家标准

型钢轧钢工程设计规范

GB 50410-2014

☆

中国计划出版社出版

网址：www.jhpress.com

地址：北京市西城区木樨地北里甲11号国宏大厦C座3层

邮政编码：100038　电话：(010) 63906433（发行部）

新华书店北京发行所发行

北京市科星印刷有限责任公司印刷

850mm×1168mm　1/32　2.5印张　60千字

2015年4月第1版　2015年4月第1次印刷

☆

统一书号：1580242・592

定价：15.00元

中华人民共和国住房和城乡建设部公告

第586号

住房城乡建设部关于发布国家标准《型钢轧钢工程设计规范》的公告

现批准《型钢轧钢工程设计规范》为国家标准，编号为GB 50410—2014，自2015年8月1日起实施。其中，第3.0.4、10.2.4(2)条(款)为强制性条文，必须严格执行。原《小型型钢轧钢工艺设计规范》GB 50410—2007同时废止。

本规范由我部标准定额研究所组织中国计划出版社出版发行。

中华人民共和国住房和城乡建设部

2014年12月2日

前　言

本规范是根据住房城乡建设部《关于印发〈2012 年工程建设标准规范制订、修订计划〉的通知》（建标〔2012〕5 号）的要求，由中冶南方工程技术有限公司和中冶赛迪工程技术股份有限公司会同有关单位，共同在原标准《小型型钢轧钢工艺设计规范》GB 50410—2007 的基础上修订完成的。

规范编制组经广泛调查研究，认真总结实践经验，参考有关国内外先进标准，并在广泛征求意见的基础上，最后经审查定稿。

本规范共分 14 章，主要技术内容包括：总则，术语，基本规定，小型型钢，中型型钢，中型棒材，大型型钢，大型棒材，供配电设施，电气传动及自动化系统，电讯设施，公辅设施，建筑与结构，安全、卫生与环保。

本次修订的主要内容是：

1. 规范的适用范围扩大为“型钢轧钢工程设计”；

2. 调整小型型钢主要品种的规格范围；

3. 增加中型型钢、中型棒材、大型型钢、大型棒材内容；

4. 增加供配电设施，电气传动及自动化系统，电讯设施，公辅设施，建筑与结构，安全、卫生与环保内容。

本规范中以黑体字标志的条文为强制性条文，必须严格执行。

本规范由住房城乡建设部负责管理和对强制性条文的解释，由中冶南方工程技术有限公司负责具体技术内容的解释。执行过程中如有意见和建议，请寄送中冶南方工程技术有限公司（地址：湖北省武汉市东湖新技术开发区大学园路 33 号，邮政编码：430223）。

本规范主编单位、参编单位、主要起草人和主要审查人：

主 编 单 位：中冶南方工程技术有限公司
中冶赛迪工程技术股份有限公司

参 编 单 位：中冶京诚工程技术有限公司
中冶华天工程技术有限公司
中冶东方工程技术有限公司
武汉钢铁(集团)公司
邯郸钢铁集团有限责任公司

主要起草人：柯衡珍 樊泽兴 徐旭东 徐 勇 吴民渊
程正刚 王成贵 黄东城 赖青山 胡于华
尤海榕 陈红明 王海丰 卢圣付 熊春节
赵宏杰 鲍昌华 许卓芳 平凤齐 董双明
文保庄 聂 晶 阳 青 任海霞 张 民
马靳江 胡建全 张江泳 赵远峰 周德奎
过志伟 张力才 邢廷珍 祁亚东 乐嘉龙
孟宪峤 樊凤玲 韩国祯 石瑞松 徐 峰
卢 勇 卢晓鹏 庆 军 陈春林 陶王送
徐 彬 潘啸波 徐庆余 方桂年 李 旭
方再福 郑 利 郭正婷 赵忠凯 栾振珠
李雪雁 赵鲁民 徐 茂 刘晓红 周卫耀
李黎明

主要审查人：郭启蛟 蔡庆伍 李 欣 陈立坤 张景旺
罗海宁 付 强 贾立虹 徐海珍

目　次

Contents

1 总　　则

1.0.1 为在型钢轧钢工程建设中贯彻执行国家有关法律法规、方针政策，做到安全可靠、环保节能、技术先进、经济合理，制定本规范。

1.0.2 本规范适用于新建和改建的型钢轧钢工程设计。

1.0.3 型钢轧钢工程设计除应执行本规范外，尚应符合国家现行有关标准的规定。

2 术　语

2.0.1 型钢　hot-rolled section steels

泛指具有特定的断面形状和尺寸的长条热轧钢材，是区别于板带、钢管的主要钢材品种。

2.0.2 连续式布置　continuous rolling mill

无可逆和往返轧制道次、机架以顺列式布置为基本特征并且轧件在两个或两个以上机架间可能同时轧制的布置，可分为全连续式布置和脱头连续式布置。

2.0.3 半连续式布置　semi-continuous rolling mill

粗轧机或开坯轧机采用可逆或往返轧制方式，中、精轧机组为连续式轧机。

2.0.4 串列式布置　rolling mills arranged in succession

开坯轧机、中轧机组、精轧机采用串列布置，开坯轧机和中轧机组均采用可逆轧制方式。

2.0.5 多机架单独布置　multiple single-stand reversing mill

全线采用多架轧机，每架轧机均为单独轧制。

3 基本规定

3.0.1 型钢轧钢工程设计应积极采用先进可靠的新技术、新工艺、新设备。

3.0.2 型钢轧钢工程设计除特殊钢种外，应采用连铸坯为坯料。

3.0.3 型钢轧钢工程设计宜采用连铸坯热送热装工艺。

3.0.4 型钢轧钢工程设计严禁采用国家规定淘汰的生产工艺装备。

3.0.5 型钢轧钢工程设计产量应达到经济生产规模，应合理确定轧机的年有效工作时间和负荷率。车间主要技术经济指标应达到国内先进水平，工序能耗应符合现行国家标准《钢铁企业节能设计规范》GB 50632 的有关规定。

3.0.6 型钢轧钢车间的工艺设备能力应互相匹配，保证生产工艺顺畅、稳定，满足产品大纲的生产要求，产品质量应符合国家现行有关标准的规定。

3.0.7 型钢轧钢车间的电气传动和自动化设备水平应与生产工艺和生产机组的装备水平相适应。

3.0.8 型钢轧钢工程消防设计应符合现行国家标准《建筑设计防火规范》GB 50016 和《钢铁冶金企业设计防火规范》GB 50414 的有关规定。

4 小型型钢

4.1 生产规模及产品

4.1.1 新建小型型钢生产线生产规模应符合下列规定：

1 以小规格型钢为主要产品的生产线，设计年产量不宜小于25万t。

2 以合金钢为主要钢种的生产线，设计年产量不宜小于30万t。

3 以普通质量非合金钢和普通质量低合金钢为主要钢种的生产线，设计年产量不宜小于50万t。

4.1.2 产品品种划分宜符合下列要求：

1 小规格圆钢、方钢、扁钢、六角钢、八角钢等简单断面型钢宜划分为小型棒材类。

2 带肋钢筋和光圆钢筋宜划分为钢筋类。

3 小规格角钢、槽钢等复杂断面型钢宜划分为小规格型钢类。

4.1.3 主要品种的规格范围宜符合下列要求：

1 棒材宜为直径ϕ8mm～ϕ50mm圆钢及相应断面的方钢、六角钢、八角钢、(5～20)mm×(30～100)mm扁钢；

2 钢筋直径宜为ϕ8mm～ϕ50mm；

3 角钢宜为2.5＃～8＃；

4 槽钢宜为5＃～10＃。

4.2 坯　　料

4.2.1 生产线应采用连铸坯作为坯料，对于部分特殊钢种，可采用轧制坯或锻造坯作为坯料。

4.2.2 坯料断面应符合下列规定：

1 坯料断面应根据产品的钢种、规格和用途等因素确定。

2　非合金钢、低合金钢坯料断面宜为 130mm×130mm～165mm×165mm。

3　合金钢坯料断面宜为 150mm×150mm～200mm×200mm。

4.2.3　坯料长度宜为 6m～12m。

4.2.4　坯料质量应符合下列要求：

1　连铸坯质量应符合现行行业标准《连续铸钢方坯和矩形坯》YB/T 2011 的有关规定，轧制坯质量应符合现行行业标准《热轧钢坯尺寸、外形、重量及允许偏差》YB/T 002 的有关规定。

2　坯料质量应满足轧钢生产要求。

3　坯料必要的检查清理应在轧前工序完成。

4.3　生产工艺

4.3.1　轧机布置应根据产品品种、规格、轧制速度选择全连续式或脱头连续式布置形式。

当选用大断面坯料生产合金钢小型棒材时，宜采用脱头连续式布置形式。

4.3.2　轧制工艺应符合下列要求：

1　合金钢生产线应在炉后设置高压水除鳞装置。

2　应根据不同的钢种设定相应的开轧温度及控制终轧温度。

3　应根据产品品种、规格、产量确定最大轧制速度。

4　粗、中轧机组宜采用微张力轧制工艺；小规格型钢生产线和高速棒材生产线精轧机组宜采用微张力轧制工艺，其余生产线精轧机组宜采用无张力轧制工艺。

5　合金钢小型棒材生产线宜设置减定径机组和在线测径仪。

6　粗轧机组、中轧机组、精轧机组、减定径机组后均应设置飞剪。

7　宜采用控轧控冷工艺。

4.3.3　精整工艺应符合下列要求：

1　直条棒材、钢筋的精整应设置取样、冷却、切定尺、检查、短尺剔除、计数、打捆、称重、标记等工序。直条棒材应根据需要采用常规冷却或缓冷工艺。

2 小规格型钢的精整应设置取样、冷却、矫直、切定尺、检查、改尺、码垛、打捆、称重、标记等工序。

3 成卷棒材、钢筋的精整应设置卷取、冷却、检查、取样、打捆、称重、标记等工序。

4 合金钢棒材生产线应根据需要设置热处理工序。

5 合金钢棒材生产线离线精整宜设置抛丸、矫直、倒棱、探伤、检查、打捆、称重、标记、剥皮、修磨、改尺等工序。

6 产品包装应符合现行国家标准《型钢验收、包装、标志及质量证明书的一般规定》GB/T 2101 的有关要求。

4.4 工艺操作设备

4.4.1 合金钢生产线应采用步进式加热炉，非合金钢和低合金钢生产线宜采用步进式加热炉。

4.4.2 轧机区设备应符合下列要求：

1 轧机宜由粗轧机组、中轧机组和精轧机组组成。合金钢轧机可增设预精轧机组和减定径机组。

2 粗、中轧机宜采用短应力线轧机；高速棒材生产线精轧机宜采用悬臂式辊环轧机，其余生产线精轧机宜采用短应力线轧机。

3 减定径轧机可采用二辊式或三辊式轧机。

4 棒材轧机宜采用平/立交替布置。根据产品品种，可设置适当数量的平/立可转换机架。

5 飞剪应根据轧件断面尺寸及轧制速度范围选择相应的结构形式。

6 冷床应采用步进齿条式。

4.4.3 精整区设备应符合下列要求：

1 切定尺设备可采用固定式冷剪，也可采用冷飞剪，特殊要求的钢材可采用冷锯。

2 以小规格型钢为主的生产线，宜采用辊式矫直机进行长尺在线矫直。

3 合金钢棒材生产线宜设置离线的斜辊矫直机。

4 棒材、钢筋生产线宜设置成品计数装置。

5 应设置成品称重装置。

4.5 工作制度、工作时间及负荷率

4.5.1 小型型钢车间应采用连续工作制度。

4.5.2 车间年规定工作时间宜采用7600h/a～8000h/a，车间年额定工作时间宜采用6200h/a～7200h/a。以合金钢为主的小型型钢车间宜取下限；以普通质量非合金钢和普通质量低合金钢为主要钢种的小型型钢车间宜取上限；型材车间宜取下限；钢筋、棒材车间宜取上限。

4.5.3 轧机负荷率不宜低于85％。

4.6 车间平面布置

4.6.1 轧钢车间宜与连铸车间毗邻布置。

4.6.2 车间工艺布置应满足生产工艺要求，流程畅通，布局合理，操作方便；对预留发展的车间，应预留设备、设施的布置场地。

4.6.3 设备布置宜紧凑，应留有设备安装、操作、检修空间和安全通道。

4.6.4 车间应设置起重运输设备。

4.6.5 主厂房起重机的轨面标高应考虑设备高度、设备检修要求、坯料及成品的堆放能力和运输条件。

4.6.6 主电室宜布置在轧机传动侧，生产线较长或设施分散时，可分区就近布置若干电气室。

4.6.7 轧辊间应靠近主轧跨，宜布置在轧机操作侧。

4.6.8 坯料库、中间库和成品库的面积应保证正常生产需要，坯料库存放天数宜为5d～7d，精整区中间库存放天数宜为3d～4d，成品库存放天数不宜少于7d。

5 中型型钢

5.1 生产规模及产品

5.1.1 新建中型型钢生产线设计年产量不宜小于50万t。

5.1.2 产品品种宜为中规格H型钢、T型钢、工字钢、槽钢、等边角钢、不等边角钢、L型钢、U型钢、球扁钢、轻轨、轮辋钢及其他异型断面型钢。

5.1.3 主要品种的规格范围宜符合下列要求：

1 H型钢宜符合下列要求：

1) 宽翼缘H型钢宜为HW100×100～HW200×200；

2) 中翼缘H型钢宜为HM150×100～HM300×200；

3) 窄翼缘H型钢宜为HN100×50～HN400×200；

4) 薄壁H型钢宜为HT100×50～HT400×200；

2 T型钢宜符合下列要求：

1) 宽翼缘剖分T型钢宜为TW50×100～TW100×200；

2) 中翼缘剖分T型钢宜为TM75×100～TM150×200；

3) 窄翼缘剖分T型钢宜为TN50×50～TN200×200；

3 工字钢宜为10＃～36＃；

4 槽钢宜为10＃～30＃；

5 等边角钢宜为8＃～16＃；

6 不等边角钢宜为8/5＃～16/9＃；

7 L型钢宜为L250×90～L300×120；

8 U型钢宜为18UY～36U；

9 球扁钢宜为120×6～300×13；

10 轻轨宜为12kg/m～30kg/m；

11 轮辋钢宜为5.50F～8.5B。

5.2 坯　　料

5.2.1 生产线应采用连铸坯作为坯料。

5.2.2 坯料断面应符合下列要求：

1 坯料断面应根据产品品种、规格和轧机布置形式等因素确定。

2 坯料断面宜选用矩形坯或异形坯。

5.2.3 坯料长度宜大于4m，应根据产品最终定尺长度来确定坯料长度。

5.2.4 坯料质量应符合下列要求：

1 连铸矩形坯质量应符合现行行业标准《连续铸钢方坯和矩形坯》YB/T 2011的有关规定。

2 坯料质量应满足轧钢生产要求。

3 坯料必要的检查清理应在轧前工序完成。

5.3 生 产 工 艺

5.3.1 轧机布置应符合下列要求：

1 轧机布置应根据产品品种、规格、生产规模和投资规模选择脱头连续式、半连续式、串列式或多机架单独布置形式。

2 以靠近下限规格为主的生产线宜采用脱头连续式布置。

3 以靠近上限规格为主的生产线宜采用半连续式、串列式或多机架单独布置。

5.3.2 轧制工艺应符合下列要求：

1 应在炉后设置高压水除鳞装置。

2 应根据不同的钢种设定相应的开轧温度及控制终轧温度。

3 应根据产品品种、规格、产量和轧机布置形式确定最大轧制速度。

4 精轧机出口可设置轮廓仪。

5 精轧机后可设置快速冷却装置。

5.3.3 精整工艺应符合下列要求：

1 宜设置取样、冷却、矫直、切定尺、检查、改尺、自动码垛、打捆、称重、标记等工序。

2 宜采用长尺冷却－长尺矫直－冷锯切定尺的长尺精整工艺。

3 产品包装应符合现行国家标准《型钢验收、包装、标志及质量证明书的一般规定》GB/T 2101 的有关规定。

5.4 工艺操作设备

5.4.1 加热炉宜采用步进式。

5.4.2 轧机区设备应符合下列要求：

1 轧机组成应根据坯料断面、产品品种、规格、产量等因素确定。

2 轧机宜采用快速换辊装置。

3 粗轧机组/开坯机后宜设置热剪，精轧机组后可设置飞剪或热锯。

4 冷床宜采用步进梁式、步进齿条式或步进梁/链条组合式。

5.4.3 精整区设备应符合下列要求：

1 应采用辊式矫直机。

2 定尺冷锯机宜采用金属锯。

3 宜设置检查、废钢剔除台架。

4 应设置自动码垛机。

5 宜设置自动打捆机。

6 应设置成品称重装置。

7 收集台架宜配备翻钢装置。

5.5 工作制度、工作时间及负荷率

5.5.1 中型型钢车间应采用连续工作制度。

5.5.2 车间年规定工作时间宜为 7600h/a～8000h/a，车间年额

定工作时间宜为6000h/a～6500h/a。产品品种较为单一的中型型钢车间取上限，产品品种规格较多的中型型钢车间取下限。

5.5.3 轧机负荷率不宜低于80%。

5.6 车间平面布置

5.6.1 轧钢车间宜与连铸车间毗邻布置。

5.6.2 车间工艺布置应满足生产工艺要求，流程通畅，布局合理，操作方便；对预留发展的车间，应预留设备、设施的布置场地。

5.6.3 设备布置宜紧凑，应留有设备安装、操作、检修空间和安全通道。

5.6.4 车间应设置起重运输设备。

5.6.5 主厂房起重机的轨面标高应考虑设备高度、设备检修要求、坯料及成品的堆放能力和运输条件。

5.6.6 主电室宜布置在轧机传动侧，生产线较长或设施分散时，可分区就近布置若干电气室。

5.6.7 轧辊间应靠近主轧跨，宜布置在轧机操作侧。

5.6.8 坯料库和成品库的面积应保证正常生产需要，坯料库存放天数宜为5d～7d，成品库存放天数不宜少于7d。

6 中型棒材

6.1 生产规模及产品

6.1.1 新建中型棒材生产线设计年产量不宜小于50万t，当产品以高合金钢为主时，设计年产量可适当降低。

6.1.2 产品品种宜为中规格圆钢、方钢、扁钢、六角钢、八角钢、方(圆)坯等简单断面型钢。

6.1.3 主要品种的规格范围宜符合下列要求：

1 圆钢直径宜为ϕ40mm～ϕ110mm；

2 方钢边长宜为40mm～110mm；

3 扁钢宜为(18～60)mm×(80～150)mm；

4 六(八)角钢宜为40mm～110mm。

6.2 坯 料

6.2.1 生产线应采用连铸坯作为坯料，对于部分特殊钢种，可采用轧制坯或锻造坯作为坯料。

6.2.2 坯料断面应符合下列要求：

1 坯料断面应根据产品的钢种、规格和用途等因素确定。

2 坯料断面宜选用方坯或矩形坯。

6.2.3 坯料长度宜为6m～12m。

6.2.4 坯料质量应符合下列要求：

1 连铸坯质量应符合现行行业标准《连续铸钢方坯和矩形坯》YB/T 2011的有关规定，轧制坯质量应符合现行行业标准《热轧钢坯尺寸、外形、重量及允许偏差》YB/T 002的有关规定。

2 坯料质量应满足轧钢生产要求。

3 坯料必要的检查清理应在轧前工序完成。

6.3 生 产 工 艺

6.3.1 轧机布置宜采用脱头连续式布置形式。

6.3.2 轧制工艺应符合下列要求：

1 应在炉后设置高压水除鳞装置。

2 应根据不同的钢种设定相应的开轧温度及控制终轧温度。

3 应根据产品品种、规格和产量确定最大轧制速度。

4 连轧机组应采用无扭微张力轧制工艺。

5 宜设置减定径机组和在线测径仪。

6 粗轧机组、中轧机组、精轧机组、减定径机组后均应设置飞剪。

7 宜采用控轧控冷工艺。

6.3.3 精整工艺应符合下列要求：

1 在线精整应设置取样、常规冷却或缓冷、切定尺、检查、短尺剔除、计数、打捆、称重、标记等工序。

2 应根据需要设置热处理工序。

3 离线精整宜设置抛丸、矫直、倒棱、探伤、检查、打捆、称重、标记、剥皮、修磨、改尺等工序。

4 产品包装应符合现行国家标准《型钢验收、包装、标志及质量保证书的一般规定》GB/T 2101 的有关规定。

6.4 工艺操作设备

6.4.1 加热炉宜采用步进式。

6.4.2 轧机区设备应符合下列要求：

1 轧机宜由粗轧机组、中轧机组、精轧机组、减定径机组组成。

2 粗、中、精轧轧机宜采用短应力线轧机。

3 减定径轧机可选用二辊式或三辊式轧机。

4 飞剪应根据轧件断面尺寸及轧制速度范围选择相应的结

构形式。

5 冷床应采用步进齿条式。

6.4.3 精整区设备应符合下列要求：

1 切定尺设备应采用固定式冷剪和冷锯。

2 宜设置高精度二辊矫直机。

3 宜设置表面探伤和内部探伤设备。

4 其他精整及热处理设备应根据相关工序配置。

6.5 工作制度、工作时间及负荷率

6.5.1 中型棒材车间应采用连续工作制度。

6.5.2 车间年规定工作时间宜为7600h/a～8000h/a，车间年额定工作时间宜为6200h/a～6800h/a。

6.5.3 轧机负荷率不宜低于80％。

6.6 车间平面布置

6.6.1 轧钢车间宜与连铸车间毗邻布置。

6.6.2 车间工艺布置应满足生产工艺要求，流程畅通，布局合理，操作方便；对预留发展的车间，应预留设备、设施的布置场地。

6.6.3 设备布置宜紧凑，应留有设备安装、操作、检修空间和安全通道。

6.6.4 车间应设置起重运输设备。

6.6.5 主厂房起重机的轨面标高应考虑设备高度、设备检修要求、坯料及成品的堆放能力和运输条件。

6.6.6 主电室宜布置在轧机传动侧，生产线较长或设施分散时，可分区就近布置若干电气室。

6.6.7 轧辊间应靠近主轧跨，宜布置在轧机操作侧。

6.6.8 坯料库、中间库和成品库的面积应保证正常生产需要，坯料库存放天数宜为5d～7d，精整区中间库存放天数宜为3d～4d，成品库存放天数不宜少于7d。

7 大型型钢

7.1 生产规模及产品

7.1.1 新建大型型钢生产线设计年产量不宜小于70万t，品种多、规格范围大的生产线设计年产量可适当降低。

7.1.2 产品品种宜为大规格H型钢、工字钢、槽钢、等边角钢、不等边角钢、L型钢、U型钢、球扁钢、钢轨、钢板桩、310乙字钢、T型钢、履带钢及其他异型断面型钢。

7.1.3 主要品种的规格范围宜符合下列要求：

1 H型钢宜符合下列要求：

1)宽翼缘H型钢宜为HW250×250～HW500×500；

2)中翼缘H型钢宜为HM300×200～HM600×300；

3)窄翼缘H型钢宜为HN350×175～HN1000×300；

2 工字钢宜为30＃～63＃；

3 槽钢宜为20＃～40＃；

4 等边角钢宜为14＃～25＃；

5 不等边角钢宜为15/9＃～20/12.5＃；

6 L型钢宜为L250×90～L500×120；

7 U型钢宜为25U～40U；

8 球扁钢宜为240×10～430×20；

9 钢轨宜为38kg/m～75kg/m；

10 钢板桩宜为400×85～750×225。

7.2 坯　　料

7.2.1 生产线应采用连铸坯作为坯料。

7.2.2 坯料断面应符合下列要求：

1 坯料断面应根据产品品种和规格等因素确定。

2 坯料断面宜选用矩形坯或异形坯。

7.2.3 坯料长度宜为 6m～14m。

7.2.4 坯料质量应符合下列要求：

1 连铸矩形坯质量应符合现行行业标准《连续铸钢方坯和矩形坯》YB/T 2011 的有关规定。

2 坯料质量应满足轧钢生产要求。

3 坯料必要的检查清理应在轧前工序完成。

7.3 生产工艺

7.3.1 轧机布置应符合下列要求：

1 轧机布置应根据产品品种、规格、生产规模和投资规模选择脱头连续式、半连续式、串列式或多机架单独布置形式。

2 以生产 H 型钢或钢轨为主的生产线宜采用串列式布置。

3 以生产槽钢、角钢等普通型钢为主的生产线宜采用脱头连续式或半连续式布置。

4 以生产钢板桩及异型断面为主的生产线宜采用多机架单独布置，也可采用串列式布置。

7.3.2 轧制工艺应符合下列要求：

1 应在炉后设置高压水除鳞装置。

2 应根据不同的钢种设定相应的开轧温度及控制终轧温度。

3 应根据产品品种、规格、产量和轧机布置形式确定最大轧制速度。

4 H 型钢、工字钢及钢轨应采用万能模式生产；钢板桩可采用万能模式，也可采用二辊模式生产；槽钢、角钢及异型钢可采用二辊模式，也可采用二辊及万能组合模式生产。

5 精轧机出口可设置轮廓仪。

6 精轧机后可设置快速冷却装置。

7.3.3 精整工艺应符合下列要求：

1 宜设置取样、冷却、矫直、切定尺、检查、改尺、自动码垛、打捆、称重、标记等工序。

2 宜采用长尺冷却一长尺矫直一冷锯切定尺的长尺精整工艺。

3 钢轨精整工序还应设置无损探伤、平直度检测、压力补矫、锯钻加工、钢轨淬火等工序。

4 特大规格 H 型钢可采用在线或离线压力矫直机矫直。

5 产品包装要求应符合现行国家标准《型钢验收、包装、标志及质量证明书的一般规定》GB/T 2101 的有关规定。

7.4 工艺操作设备

7.4.1 加热炉宜采用步进式。

7.4.2 轧机区设备应符合下列要求：

1 轧机组成应根据坯料断面、产品品种、规格、产量等因素确定。

2 轧机宜采用快速换辊装置。

3 粗轧机组/开坯机后、精轧机组后宜设置热锯。

4 钢轨生产线冷床前应设置钢轨热打印机。

5 冷床宜采用步进梁式、步进齿条式或步进梁/链条组合式。

7.4.3 精整区设备应符合下列要求：

1 应采用辊式矫直机。

2 矫直机后可设置型钢表面喷印标示装置。

3 定尺冷锯机宜采用金属锯。

4 宜设置检查、废钢剔除台架。

5 应设置自动码垛机。

6 宜采用自动打捆机。

7 可设置在线或离线压力矫直机。

8 钢轨精整线应设置平一立复合辊式矫直机、钢轨检测中心、压力补矫、锯钻加工、钢轨淬火等设施。钢轨检测中心应包括表面清理装置、断面尺寸检测系统、平直度检测系统、涡流检测系统、超声波检测系统、缺陷喷印装置。

7.5 工作制度、工作时间及负荷率

7.5.1 大型型钢车间应采用连续工作制度。

7.5.2 车间年规定工作时间宜为7600h/a～8000h/a，车间年额定工作时间宜为6000h/a～6500h/a。产品品种较为单一的大型型钢车间取上限，产品品种规格较多的大型型钢车间取下限。

7.5.3 轧机负荷率不应低于80%。

7.6 车间平面布置

7.6.1 轧钢车间宜与连铸车间毗邻布置。

7.6.2 车间工艺布置应满足生产工艺要求，流程畅通，布局合理，操作方便；对预留发展的车间，应预留设备、设施的布置场地。

7.6.3 设备布置宜紧凑，应留有设备安装、操作、检修空间和安全通道。

7.6.4 车间应设置起重运输设备。

7.6.5 主厂房起重机的轨面标高应考虑设备高度、设备检修要求、坯料及成品的堆放能力和运输条件。

7.6.6 主电室宜布置在轧机传动侧，生产线较长或设施分散时，可分区就近布置若干电气室。

7.6.7 轧辊间应靠近主轧跨，宜布置在轧机操作侧。

7.6.8 坯料库和成品库的面积应保证正常生产需要，坯料库存放天数宜为5d～7d，成品库存放天数不宜少于7d。

8 大型棒材

8.1 生产规模及产品

8.1.1 新建大型棒材生产线设计年产量不宜小于50万t,当产品以高合金钢为主时,设计年产量可适当降低。

8.1.2 产品品种宜为大规格圆钢、方钢、方(圆)坯等简单断面型钢。

8.1.3 主要品种的规格范围宜符合下列要求:

1 圆钢直径宜为ϕ80mm～ϕ310mm;

2 方钢边长宜为80mm～200mm。

8.2 坯　　料

8.2.1 生产线可采用连铸坯、钢锭或锻造坯作为坯料。

8.2.2 坯料断面应符合下列要求:

1 坯料断面应根据产品的钢种、规格和用途等因素确定。

2 坯料断面宜选用矩形坯或圆坯。

8.2.3 坯料质量应符合下列要求:

1 连铸矩形坯质量应符合现行行业标准《连续铸钢方坯和矩形坯》YB/T 2011的有关规定。

2 坯料质量应满足轧钢生产要求。

3 坯料必要的检查、清理应在轧前工序完成。

8.3 生产工艺

8.3.1 轧机布置宜采用半连续式布置形式。

8.3.2 轧制工艺应符合下列要求:

1 应在炉后设置高压水除鳞装置。

2 应根据不同的钢种设定相应的开轧温度及控制终轧温度。

3 应根据产品品种、规格和产量确定最大轧制速度。

4 可设置火焰清理机。

5 连轧机组前应设置切头设备。

6 连轧机组轧机数量不宜少于 4 架。

7 连轧机组后宜设置飞剪。

8 连轧机组超过 8 架轧机宜分为两个机组，机组间应设置飞剪。

9 连轧机组应采用无扭微张力轧制工艺。

10 连轧机组后宜设置在线测径仪。

8.3.3 精整工艺应符合下列要求：

1 在线精整应设置编组、热锯切、取样、标记、常规冷却或缓冷、收集等工序。

2 应根据需要设置热处理工序。

3 离线精整宜设置抛丸、矫直、倒棱、探伤、检查、打捆、称重、标记、剥皮、修磨、改尺等工序。

4 产品包装应符合现行国家标准《型钢验收、包装、标志及质量证明书的一般规定》GB/T 2101 的有关规定。

8.4 工艺操作设备

8.4.1 连铸坯应采用步进式加热炉加热，钢锭宜采用均热炉加热。

8.4.2 轧机区设备应符合下列要求：

1 轧机宜由开坯机、连轧机组组成。

2 开坯机应采用二辊可逆式轧机。

3 连轧机宜采用短应力线轧机。

4 连轧机组宜采用快速换辊装置。

8.4.3 精整区设备应符合下列要求：

1 切定尺设备宜采用热锯。

2 在锯切温度范围内，低硬度钢种宜采用金属锯锯切，高硬度钢种或切口质量要求高的产品宜采用砂轮锯锯切。

3 宜采用步进齿条式定尺冷床。

4 宜设置高精度二辊矫直机和压力矫直机。

5 宜设置表面探伤和内部探伤设备。

6 其他精整及热处理设备应根据相关工序配置。

8.5 工作制度、工作时间及负荷率

8.5.1 大型棒材车间应采用连续工作制度。

8.5.2 车间年规定工作时间宜为 7600h/a～8000h/a，车间年额定工作时间宜为 6200h/a～6800h/a。

8.5.3 轧机负荷率不宜低于 80%。

8.6 车间平面布置

8.6.1 轧钢车间宜与连铸车间毗邻布置。

8.6.2 车间工艺布置应满足生产工艺要求，流程畅通，布局合理，操作方便；对预留发展的车间，应预留设备、设施的布置场地。

8.6.3 设备布置宜紧凑，应留有设备安装、操作、检修空间和安全通道。

8.6.4 车间应设置起重运输设备。

8.6.5 主厂房起重机的轨面标高应考虑设备高度、设备检修要求、坯料及成品的堆放能力和运输条件。

8.6.6 主电室宜布置在轧机传动侧，生产线较长或设施分散时，可分区就近布置若干电气室。

8.6.7 轧辊间应靠近主轧跨，宜布置在轧机操作侧。

8.6.8 坯料库、中间库和成品库的面积应保证正常生产需要，坯料库存放天数宜为 5d～7d，精整区中间库存放天数宜为 3d～4d，成品库存放天数不宜少于 7d。

9 供配电设施

9.0.1 变电所设计应符合国家现行相关标准的规定。

9.0.2 供配电系统设计应满足各级负荷的供电要求。

9.0.3 根据负荷大小，供电电压等级宜选用35kV或10kV。

9.0.4 供配电系统宜集中设置高压配电装置，且应靠近负荷中心。

9.0.5 大、中型型钢，当供电电压为35kV时，轧机主传动的配电电压宜采用35kV，轧机辅传动及其他负荷的配电电压宜选择10kV电压等级；当供电电压大于35kV时，轧机主传动的配电电压应根据工程规模进行技术经济比较来确定合理的配电电压等级。

9.0.6 配电系统的主接线宜采用单母线或单母线分段接线，配电系统宜采用放射式。

9.0.7 配电系统应采取抑制谐波措施，PCC点的谐波电流应符合现行国家标准《电能质量 公用电网谐波》GB/T 14549的有关规定，PCC点的电压波动限值应符合现行国家标准《电能质量 电压波动和闪变》GB/T 12326的有关规定；应采取无功补偿措施，使PCC点的功率因数符合当地供电部门的要求。

9.0.8 当配电系统采用单母线分段接线时，宜将整流负荷集中由一段母线供电。

9.0.9 车间照明及起重机宜分别采用专用的变压器供电。

9.0.10 车间内变压器宜采用干式变压器。

9.0.11 供配电线路宜采用电缆。

9.0.12 电气室布置应符合下列要求：

1 电气室的位置宜靠近负荷中心，用电负荷较大且分散的生产机组，宜根据负荷分布情况设置多个电气室。

2 大型电气室宜设置地下室和/或电缆夹层。

10 电气传动及自动化系统

10.1 电 气 传 动

10.1.1 主传动用大型电动机应采用交流电动机，主传动用中、小型电动机宜采用交流电动机。

10.1.2 主传动宜采用交－直－交变频调速装置。

10.1.3 需要调节流量、风量的泵、风机类传动设备宜采用交流变频调速系统。

10.2 自动化仪表

10.2.1 检测仪表配置应在满足生产工艺要求的前提下，根据生产机组的总体装备水平、控制水平，选择经济、可靠、实用、易于维护的仪表并满足使用环境要求。

10.2.2 检测仪表远传信号宜采用 4mA～20mA 直流模拟信号。

10.2.3 检测仪表设备应符合下列要求：

1 插入式直接温度测量宜采用热电阻、热电偶；热电阻分度号宜采用 Pt100；热电偶根据测温范围，分度号宜选择为 E、K、S、B。非接触式温度测量宜采用红外测温仪。

2 对高压介质的压力测量应设二次取压阀。

3 对纯净气体、蒸汽及不导电的液体流量检测，宜采用符合现行国家标准《用安装在圆形截面管道中的差压装置测量满管流体流量》GB/T 2624 规定的节流装置；对含有杂质的气体，宜采用带有防堵措施的专用节流装置；对温度、压力波动较大的气体流量测量应进行温度、压力补偿；对高压介质的流量测量，节流装置应设二次取压阀。

4　对导电液体介质的流量检测，宜采用电磁流量计，当维护空间不足或振动较大时，应选用分体式；对含有磁性或可磁化物质的液体介质，不宜采用电磁流量计，宜采用超声波或其他专用流量计。

5　物位的测量宜采用雷达或其他料（液）位计；在正常工况下液体密度易发生明显变化的介质，不宜采用静压式或差压式液位计；对挥发性液体，不宜采用超声波液位计；对含有磁性或易磁化物质的测量介质，不宜采用磁翻板/磁浮子液位计。

6　加热炉的废气宜设置废气分析仪表。

7　在加热炉危险区域应设置危险气体检测仪表，且应对危险气体的泄漏实施实时的报警。

8　控制阀在事故状态时的阀门位置应处于安全位置，影响安全且未设旁通阀的控制阀应配置手轮。

9　根据工艺需求设置必要的特殊仪表，放射性仪表应符合现行国家标准《电离辐射防护与辐射源安全基本标准》GB 18871 的有关规定。

10　进、出轧钢厂的能源介质，应设置计量仪表。

11　生产机组产生、消耗和回收的能源介质，宜设置计量仪表。

12　生产机组的能源介质计量信号宜在其对应的基础自动化系统显示管理。

10.2.4　现场仪表动力源应符合下列要求：

1　现场仪表系统的电源应为三相四线制 380V/50Hz、单相 220V/50Hz 交流电源或 24V 直流电源。

2　在无法确保人身安全或在相对密闭的场合，不应采用氮气作为仪表气源。

10.2.5　现场仪表的安装位置应满足仪表的测量和维护要求；露天安装的仪表变送器、转换器等应采取防护措施；在容易冻结的场合，应对现场仪表、测量管路等采取伴热保温措施。

10.3 自动化系统

10.3.1 型钢车间应设置基础自动化系统(L1)。

10.3.2 型钢车间宜设置过程自动化系统(L2)及制造执行系统(MES)。

10.3.3 基础自动化系统(L1)应符合下列要求:

1 电气控制和仪表控制宜采用一体化系统。

2 L1 宜采用分区设置、集中监控的原则。

3 重要生产设备宜设置快速数据采集系统(PDA)。

4 车间应设置紧急停车系统。

5 紧急停车系统应符合下列要求:

1)紧急停车系统作用区域应按工艺要求划分。

2)保障人身安全的紧急停车系统应采用紧急停车按钮触发的硬件停车电路构成,安装在操作人员方便的位置。

3)避免设备事故及生产故障的紧急停车系统可由可编程序控制器或继电器构成的硬件电路系统组成。

4)紧急停车状态应人工确认后手动解除,紧急停车解除后不应导致相关设备的自动重新启动。

10.3.4 过程自动化系统(L2)宜具有工艺区过程控制、生产管理、报表、换班及人员管理、轧辊间管理、与外部系统的数据通信功能。

10.3.5 制造执行系统(MES)的设计应能满足型钢工艺生产和厂内企业管理的需要,且应实现与企业资源规划系统、过程控制系统间的功能整合及数据传输。

10.3.6 自动化系统的服务器、通信设备、处理设备及存储设备宜设置在专用的房间内。

10.3.7 车间内敷设的通信电缆宜采用光缆。

11 电讯设施

11.1 电话系统

11.1.1 电话系统的设置应满足生产工艺和企业管理对生产调度、作业协调及行政管理的通信需要，且应与工厂发展规划及企业通信模式相适应。

11.1.2 具有二级调度体制的企业，型钢厂宜设置调度电话总机。

11.1.3 型钢厂调度电话总机应采用程控数字调度总机或IP调度总机，并应具有录音功能。

11.1.4 IP电话应配置QoS保证。

11.2 有线对讲系统

11.2.1 小型型钢厂可采用无主机型有线对讲系统，大、中型型钢厂宜采用有主机型有线对讲系统。

11.2.2 有主机型有线对讲系统宜具有集呼、组呼、选呼功能，且应能对用户的呼叫优先级别进行设置。

11.2.3 有线对讲系统宜具有接入消防报警信号或外部相关的应急联动控制信号功能。

11.2.4 主操作室、重要的现场操作台(箱)，应设置对讲话站。水处理站、空压站等公辅场所的生产岗位，宜设置对讲话站或单向广播扬声器。

11.2.5 设置在车间内或厂房外的话站外接扬声器或单向广播扬声器，宜根据环境噪声大小选用10W～25W号筒式扬声器。

11.2.6 有线对讲系统的信号电缆宜采用对绞屏蔽型电缆，有主机型对讲系统电缆网络宜按星型结构组网。

11.2.7 有线对讲系统宜采用集中供电方式。

11.3 无线对讲系统

11.3.1 车间起重机操作人员和地面指挥人员之间的通信联络宜采用无线对讲通信。

11.3.2 设备检修维护、调试等流动岗位之间,以及流动岗位与调度室、操作室之间的通信联络宜采用无线对讲通信。

11.3.3 大、中型型钢车间宜采用由基地台、车载台和手持台等组成的无线对讲系统。

11.4 工业电视系统

11.4.1 工业电视的设置应符合下列要求:

1 生产机组的重要部位,以及生产和管理需要监视的部位,宜设置工业电视系统。

2 操作人员应监视但又难以直接观察到的生产机组关键部位,应设置工业电视系统。

11.4.2 IP 网络摄像机的视频压缩标准或模拟摄像机的 IP 网络视频服务器/视频编码器以及硬盘录像机的上传网络接口的视频压缩标准,应与企业调度电视系统采用的视频压缩标准一致。

11.4.3 现场监控画面要求较高的摄像机,清晰度不宜低于 D1,图像实时传输帧率不宜小于 25fps。

12 公辅设施

12.1 轧辊间设施

12.1.1 轧辊间的设置应符合下列要求：

1 轧辊间生产任务应根据生产机组的配置和要求确定，应包括新辊孔型的加工，旧辊孔型的修复，轧辊拆卸、清洗检测和组装，导卫的装配及调整，轧辊的配辊及组装。

2 导卫的修复、剪刃的修磨及样板的加工、锯片修磨及淬火等设施宜根据工厂条件采取与其他设施合建或外委解决，也可配置在轧辊间内。

3 生产设备日常维护所需备品备件的加工及设备的小、中、大修设施宜与其他设施合建或外委解决，也可单独配置。

12.1.2 设备选型应符合下列要求：

1 轧辊车床及铣床的规格应依据轧辊的类型、规格、孔型尺寸及材质等参数选择。

2 轧辊车床及铣床的数量应依据工作量、加工效率及车间工作制度选择。型钢轧辊间轧辊加工机床宜选择数控重型轧辊车床，不宜选用普通重型车床。

3 轧辊清洗设备应依据轧辊、轴承的类型、规格及工作量等参数选择。

4 轧辊轴承及轴承座的拆卸宜采用机械拆装，轴承及轴承座的清洗宜采用机械清洗方式。

5 导卫、剪刃及样板的加工设备应依据加工对象的规格、材质、工作量及车间工作制度等参数选择。

6 应配置产品商标、规格、批次等符号的轧辊刻制工序，宜配置相应的数控机床，不宜进行人工刻制。

7　型钢轧辊间冷锯片加工中的钎焊工序，应考虑高频辐射影响和相应的防护措施。

8　大型型钢轧辊间宜配备辊套热装炉、数控立式车床等设备。

12.1.3　设备布置应符合下列要求：

1　轧辊间设备布置应与主体生产设备的工艺布置相衔接，应符合物流顺畅、便于管理的原则。

2　轧辊间厂房轨面标高应满足最大工件提升高度和吊运空间的要求。

3　轧辊清洗设备宜靠车间外墙侧布置。

12.2　检化验设施

12.2.1　型钢的检化验项目应根据产品品种、规格和生产设备确定，并按国家现行有关标准执行。

12.2.2　检化验设备选择应符合下列要求：

1　加工、分析及性能检测设备配置数量应根据计算法确定。

2　产品标准中规定必验项目所需的设备均应配备，其余参考项目所需设备宜内外协作或按最少数量配置。

3　设备参数宜根据工艺要求选用精度和能力匹配的设备。

12.2.3　检化验设备布置应符合下列要求：

1　试样加工设备应布置在建筑物一层。

2　试样加工设备布置应根据试样加工工艺流程、工人的操作安全、取送样方便和利用加工车间内采光有利的位置确定。

3　试样加工设备周边应留出检修及运送物料的空间。

4　拉力、冲击、顶锻试验机及热处理设备应布置在一层，并应靠近试样加工间。

5　热处理室布置宜靠近拉力试验室和热顶锻试验室。

6　配电室、试样存放室宜布置在检验室一层。

12.3 燃气设施

12.3.1 燃气设施设计应符合下列要求：

1 应根据全厂燃气平衡、周边燃料供应状况及加热炉和热处理炉的工艺需求，合理选用燃料。

2 应满足加热炉和热处理炉的工艺需求。

3 煤气压力应在满足加热炉和热处理炉烧嘴压力、调压设备和管道沿程阻力损失要求基础上从低配置。

4 煤气供应能力应按正常生产条件下煤气的小时最大和最小用量确定，同时还应满足投产初期及检修时煤气小流量和正常运行时流量变化要求。

5 煤气供应系统和煤气管网的设计应符合现行国家标准《工业企业煤气安全规程》GB 6222 的有关规定。

6 天然气、液化天然气和液化石油气供应系统的设计应符合现行国家标准《城镇燃气设计规范》GB 50028 的有关规定。

7 发生炉煤气供应系统的设计应符合现行国家标准《发生炉煤气站设计规范》GB 50195 的有关规定。

8 各站区内应按现行国家标准《石油化工企业可燃气体和有毒气体检测报警设计规范》GB 50493 的有关规定设置燃气泄漏报警装置。

9 每座加热炉和热处理炉燃料管道上检修用切断装置宜采用蝶阀加封闭式盲板阀布置在相应炉子旁。

12.3.2 切割维修设施设计应符合下列要求：

1 车间切割维修用氧气可用瓶装或管道氧气供给。管道氧气在切割用户点处宜设置安全阀箱。

2 车间内氧气管道的设计应符合现行国家标准《深度冷冻法生产氧气及相关气体安全技术规程》GB 16912 的有关规定。

3 车间切割维修用燃气可采用瓶装乙炔气、天然气、液化石油气等燃气或管道液化石油气、焦炉煤气、天然气等供给。管道燃气在切割用户点处宜设置安全阀箱。

12.3.3 氮气供应系统应满足生产机组及煤气管道吹扫的要求，宜使用管道氮气。采用液氮气化、汇流排、变压吸附制氮等方式供应氮气，应设置氮气储罐，保证氮气的安全供应。

12.3.4 燃气介质管线进入车间前应设置切断装置、放散管、检查孔和吹扫头等附属设施。

12.3.5 能源介质供应应设置能源计量装置。

12.4 热力设施

12.4.1 蒸汽的汽源应符合下列要求：

1 蒸汽汽源宜采用本厂加热炉汽化冷却装置生产的蒸汽。

2 加热炉汽化冷却装置用水宜采用脱盐水。

3 加热炉汽化冷却装置生产的蒸汽宜设置过热设施。

12.4.2 压缩空气的设计应符合下列要求：

1 压缩空气负荷应按生产工艺提供的压缩空气压力、用气量及用气品质的要求，计入同时使用系数和管道漏损系数后计算确定。

2 压缩空气供应气源应根据工厂的总体规划进行。

3 型钢轧钢工厂附近没有压缩空气气源时，可设置单独的空压站。

4 空压站宜设置在单独的站房内，空压站设计应符合现行国家标准《压缩空气站设计规范》GB 50029 的有关规定。

5 压缩空气的干燥装置宜集中设置，经常运行的压缩空气干燥装置应至少有 1 台备用。

12.5 给排水设施

12.5.1 给排水设施的设计应符合现行国家标准《钢铁企业给水排水设计规范》GB 50721 的有关规定。

12.5.2 给排水设施应根据工艺要求设置。在旧厂改造时，应充分利用原有的给排水设施。

12.5.3 供水系统应根据供水和回水水质分类设置，排水系统应采用分流制。

12.5.4 同一厂房内设置多条生产线的水处理设施宜集中设置，并分机组、分系统供水。

12.5.5 水处理站应根据全厂的生产管理情况，设置加药间和操作室。

12.5.6 当给排水处理设备布置在室外时，其运行操作部位及仪表、取样装置、阀门等宜采取防雨措施，有防冻要求的地区应采取防冻措施。

12.5.7 水处理系统应根据工艺用水要求采用先进实用的水处理设备。

12.5.8 循环水系统设计应符合下列要求：

1 循环水系统设计应符合现行国家标准《工业循环冷却水处理设计规范》GB 50050 的有关规定。

2 供水系统、水处理设施的组成和能力应满足生产工艺用水水质及水温的要求。

3 循环水系统水处理设备及构筑物的相关参数选择应符合现行国家标准《钢铁企业给水排水设计规范》GB 50721 的有关规定。

12.5.9 加热炉循环水系统应设置安全供水系统，并应符合现行国家标准《钢铁企业给水排水设计规范》GB 50721 的有关规定。

12.5.10 轧机直接冷却水回水设计应符合下列要求：

1 采用冲渣沟形式，冲渣沟应采用耐磨材料衬里，冲渣沟宜留有人工清渣的空间。

2 在冲渣沟的起点，变标高、变坡度及在无法清渣处应设置固定的冲渣水点。

12.5.11 轧线穿水冷却供水系统应满足工艺用水变化的要求。

12.5.12 水处理站应设水质分析及检测系统，并应符合下列要求：

1 水处理系统的水质监测项目应按现行国家标准《工业循环冷却水处理设计规范》GB 50050 的有关规定执行。

2 水处理的水质分析宜纳入全厂或厂内其他车间的水质分析室；当全厂或厂内其他车间不具备水质分析条件时应设置水质分析室。

3 水处理系统的运行参数应进行检测，运行状态应进行控制。

12.6 采暖、通风与空调设施

12.6.1 采暖通风与空气调节设计应符合现行国家标准《采暖通风与空气调节设计规范》GB 50019 的有关规定。

12.6.2 型钢轧钢厂宜具有良好的自然通风条件，主厂房外墙宜少设辅助建筑物，辅助建筑物宜避开主导风向的迎风面。

12.6.3 轧辊间和有供暖要求的厂房，其围护结构应有良好的保温措施，屋面、外墙和天沟等的最小热阻应满足节能降耗和防止结露的要求，其值应根据车间内的温度、湿度及气象条件计算确定。

12.6.4 采暖设计应符合下列要求：

1 轧辊间内设计温度应根据工艺设备的要求选取，当缺乏工艺资料时，室内设计温度宜取 16℃～18℃。

2 轧辊间和辅助用房采暖的热媒宜采用 0.2MPa～0.3MPa 的蒸汽或不低于 95℃ 的循环热水。当采暖系统蒸汽用量大于 0.6t/h时，宜设置凝结水回收装置。

3 轧辊间宜采用暖风机采暖，在经常进出的大门宜设置热空气幕。公辅系统的房间宜采用散热器采暖。

12.6.5 通风设计应符合下列要求：

1 通风设计宜优先采用有组织的自然通风，当自然通风不能满足室内安全、卫生、环保或生产要求时，可采用机械通风或自然通风与机械通风的联合通风方式。

2 主厂房内生产机组局部产生的热、湿气体宜采用局部排风装置。

3 无空调或无特殊室温要求的电气室、电缆层、电缆隧道可采用自然通风、机械通风或两者相结合的通风方式。地下电缆层、电缆隧道通风的进排风管口处应设有能自动关闭并带返回信号的防火阀。

4 供电系统的高压配电室及蓄电池室应设置事故通风装置。事故通风量宜根据工艺要求通过计算确定，当缺乏工艺资料时应按每小时不小于 12 次计算。事故通风机应分别在室内、外便于操作的地点设置电气开关。

5 地下液压站、润滑站等应设置机械通风装置，在送排风管穿过防火隔断处应设置防火阀。

6 操作岗位的环境温度不能达到卫生要求时，或辐射强度大于 $350\mathrm{w/m^2}$ 时，应设置局部送风。

7 通风系统的风机应与火灾自动报警系统连锁，当有火灾报警信号时，应能自动关闭通风机。

12.6.6 空气调节设计应符合下列要求：

1 按工艺性空调和舒适性空调要求确定室内计算温度，空气调节系统设计应符合现行国家标准《采暖通风与空气调节设计规范》GB 50019 的有关规定。

2 型钢车间的主要电气室宜采用集中空调系统或分散式水冷空调机组。

3 空调设施应与火灾自动报警系统连锁，当有火灾报警信号时，自动关闭空调系统。

4 电气室的空调机宜靠外墙布置，空调机的冷却水管道不宜穿过电气室、仪表室、计算机室等房间。电气室空调系统的风管应采取保温措施以防结露，空调系统的送风管不宜设置在电气柜正上方。

12.6.7 除尘系统设计应符合下列要求：

1 对抛丸机组等设备所产生的粉尘应配置相应的除尘系统，净化设备宜采用布袋除尘器。

2 除尘器进、出口管道及排放烟囱上应设置测孔，测孔位置应按现行国家标准《固定污染源排气中颗粒物测定与气态污染物采样方法》GB/T 16157 的规定执行。当测点标高超过 3m 时，应设置工作平台和梯子，并应配置监测专用电源。

13 建筑与结构

13.1 一般规定

13.1.1 建筑、结构设计应满足生产要求，并应符合现行国家标准的有关规定。

13.1.2 建筑结构的安全等级应按现行国家有关标准确定。一般建(构)筑物安全等级宜为二级。

13.1.3 建筑、结构设计应符合现行国家标准《建筑抗震设计规范》GB 50011 及《构筑物抗震设计规范》GB 50191 的有关规定，宜采用体型规则的结构形式。

13.1.4 建筑、结构防火设计应符合现行国家标准《建筑设计防火规范》GB 50016 及《钢铁冶金企业设计防火规范》GB 50414 的有关规定。

13.1.5 建筑、结构防腐设计应符合现行国家标准《工业建筑防腐蚀设计规范》GB 50046 及相关标准的规定。

13.1.6 地下建(构)筑物防水要求应符合现行国家标准《地下工程防水技术规范》GB 50108 的有关规定。

13.1.7 建筑结构荷载取值应符合现行国家标准《建筑结构荷载规范》GB 50009 的有关规定，并应根据生产工艺所要求的操作、检修荷载进行设计。

13.2 主 厂 房

13.2.1 主厂房火灾危险性分类为丁类，耐火等级及构件的燃烧性能、耐火极限应符合现行国家标准《建筑设计防火规范》GB 50016 的有关规定。

13.2.2 主厂房宜采用全钢结构。

13.2.3 主厂房温度伸缩缝设置的最大间距应根据主厂房的结构形式按现行国家标准《混凝土结构设计规范》GB 50010 和《钢结构设计规范》GB 50017 的有关规定确定。有抗震设防要求时，温度伸缩缝宜与防震缝合并设置，并应符合防震缝的要求。

13.2.4 原料跨及成品跨厂房基础及上部结构应根据地面堆载和地质条件进行设计。

13.2.5 主厂房建筑、结构平面布置及内部空间应满足生产工艺及设备检修的要求。

13.2.6 主厂房围护结构应满足生产工艺及节能、采光的要求。

13.2.7 主厂房应根据生产机组散热负荷合理设置通风天窗和进风窗。

13.2.8 主厂房屋面宜采用有组织排水方式，并应符合现行国家标准《建筑给排水设计规范》GB 50015 的有关规定。

13.2.9 主厂房地面宜采用耐磨和不起尘砂的面层，垫层、地基及构造应符合现行国家标准《建筑地面设计规范》GB 50037 的有关规定。

13.2.10 主厂房柱基形式应综合考虑场地工程地质、水文地质、冻土深度、地下沟道管线、相邻建(构)筑物影响和基础荷重等因素确定。

13.2.11 主厂房内液压站、润滑站、电气室等对消防有较高要求的小房宜采用钢筋混凝土或砌体结构；主厂房内其他小房可根据要求采用钢筋混凝土、砌体或钢结构。

13.2.12 设备基础应根据工艺布置形式、生产机组的负荷特点、沉降和位移要求及场地地质条件进行设计，应符合现行国家标准《钢铁企业冶金设备基础设计规范》GB 50696 及相关标准的规定。

14　安全、卫生与环保

14.1　一般规定

14.1.1　型钢轧钢工程设计必须贯彻执行国家、行业及地方有关安全与职业卫生相关的法律、政策和规定，保证职工的安全与健康。

14.1.2　型钢轧钢厂选址与总图布置应符合下列规定：

1　厂址的选择应符合国家现行标准《工业企业设计卫生标准》GBZ 1、《轧钢安全规程》AQ 2003 及《钢铁工业环境保护设计规范》GB 50406 的有关规定。

2　厂区总平面布置、车间布置应符合国家现行标准《工业企业总平面设计规范》GB 50187、《钢铁企业总图运输设计规范》GB 50603、《工业企业设计卫生标准》GBZ 1、《轧钢安全规程》AQ 2003及《钢铁工业环境保护设计规范》GB 50406 的有关规定。

14.2　安　　全

14.2.1　防火、防爆设计应符合国家现行标准《建筑设计防火规范》GB 50016、《钢铁冶金企业设计防火规范》GB 50414、《工业企业煤气安全规程》GB 6222 及《轧钢安全规程》AQ 2003 的有关规定。

14.2.2　电气安全设计应符合国家现行标准《建筑设计防火规范》GB 50016、《钢铁冶金企业设计防火规范》GB 50414、《建筑物防雷设计规范》GB 50057、《爆炸危险环境电力装置设计规范》GB 50058、《建筑照明设计标准》GB 50034、《危险场所电气防爆安全规范》AQ 3009 及《轧钢安全规程》AQ 2003 的有关规定。

14.2.3　燃气安全设计应符合现行国家标准《工业企业煤气安全

规程》GB 6222 及《城镇燃气设计规范》GB 50028 的有关规定。

14.2.4 建(构)筑物的抗震设计应符合现行国家标准《建筑抗震设计规范》GB 50011 的有关规定。

14.2.5 人行通道、梯子、平台、防护栏杆、防护屏与保护罩的设置应符合国家现行标准《固定式钢梯及平台安全要求》GB 4053 及《轧钢安全规程》AQ 2003 的有关规定。

14.2.6 安全警示标志的设置应符合现行国家标准《安全标志及其使用导则》GB 2894 的有关规定。

14.2.7 运输、装卸与起重安全技术措施应符合国家现行标准《轧钢安全规程》AQ 2003 的有关规定。

14.3 卫 生

14.3.1 生产工艺、车间布置、职业卫生防护措施设计应符合现行国家标准《黑色金属冶炼及压延工业 职业卫生防护技术规范》GBZ/T 231 的有关规定。

14.3.2 防尘、防毒、防窒息技术措施应符合现行国家标准《工业企业设计卫生标准》GBZ 1 及《黑色金属冶炼及压延工业 职业卫生防护技术规范》GBZ/T 231 的有关规定。工作场所中有害因素的浓度应符合现行国家标准《工作场所有害因素职业接触限值》GBZ 2.1 的有关规定。

14.3.3 噪声、高温、局部振动、工频电场、电离辐射防护设施的设置应符合现行国家标准《工业企业设计卫生标准》GBZ 1、《黑色金属冶炼及压延工业 职业卫生防护技术规范》GBZ/T 231 及《工业场所有害因素职业接触限值》GBZ 2.2 的有关规定。

14.3.4 防暑降温、防寒采暖设计应符合现行国家标准《工业企业设计卫生标准》GBZ 1、《黑色金属冶炼及压延工业 职业卫生防护技术规范》GBZ/T 231 及《采暖通风和空气调节设计规范》GB 50019 的有关规定。

14.3.5 厂区内的生活辅助设施应避开有害气体、射线、高温等职业性有害因素的影响，设计应符合现行国家标准《工业企业设计卫生标准》GBZ 1 的有关规定。

14.4 环　　保

14.4.1 型钢轧钢工程环境保护设计必须坚持清洁生产、循环经济的原则，保护优先，以防为主，防治结合。环保设计应严格控制环境污染，降低环境风险。

14.4.2 型钢轧钢厂产生的各种污染物的排放，必须符合国家及地方现行排放标准的要求；对引进项目，其设备、装置的污染物排放标准不应低于国家现行标准。大气污染物排放浓度应符合现行国家标准《轧钢工业大气污染物排放标准》GB 28665 的有关规定，水污染物排放浓度应符合现行国家标准《钢铁工业水污染物排放标准》GB 13456 的有关规定。

14.4.3 生产设施、机组产生烟（粉）尘量较大的部位应设置收尘除尘设施，烟（粉）尘排放标准不应低于国家现行标准。

14.4.4 轧钢工业炉窑应选用气体燃料等清洁燃料，宜采用蓄热式燃烧技术和低氮燃烧技术等燃烧工艺。

14.4.5 废水应按照不同性质分系统收集并进行处理。处理后的废水宜回用或达标排放。

14.4.6 生产机组和公辅设施应按照其噪声源的具体情况，分别采取消声、隔声、吸声、隔振或阻尼等方法进行降噪。

14.4.7 生产机组和公辅设施产生的固废物的处理、处置方式应符合现行国家标准《钢铁工业环境保护设计规范》GB 50406 的有关规定。废油应回收再生利用，不具备条件时应送具有相应资质的单位处理。

本规范用词说明

1 为便于在执行本规范条文时区别对待，对要求严格程度不同的用词说明如下：

1) 表示很严格，非这样做不可的：

正面词采用“必须”，反面词采用“严禁”；

2) 表示严格，在正常情况下均应这样做的：

正面词采用“应”，反面词采用“不应”或“不得”；

3) 表示允许稍有选择，在条件许可时首先应这样做的：

正面词采用“宜”，反面词采用“不宜”；

4) 表示有选择，在一定条件下可以这样做的，采用“可”。

2 条文中指明应按其他有关标准执行的写法为：“应符合……的规定”或“应按……执行”。

引用标准名录

《建筑结构荷载规范》GB 50009
《混凝土结构设计规范》GB 50010
《建筑抗震设计规范》GB 50011
《建筑给排水设计规范》GB 50015
《建筑设计防火规范》GB 50016
《钢结构设计规范》GB 50017
《采暖通风与空气调节设计规范》GB 50019
《城镇燃气设计规范》GB 50028
《压缩空气站设计规范》GB 50029
《建筑照明设计标准》GB 50034
《建筑地面设计规范》GB 50037
《工业建筑防腐蚀设计规范》GB 50046
《工业循环冷却水处理设计规范》GB 50050
《建筑物防雷设计规范》GB 50057
《爆炸危险环境电力装置设计规范》GB 50058
《地下工程防水技术规范》GB 50108
《工业企业总平面设计规范》GB 50187
《构筑物抗震设计规范》GB 50191
《发生炉煤气站设计规范》GB 50195
《钢铁工业环境保护设计规范》GB 50406
《钢铁冶金企业设计防火规范》GB 50414
《石油化工企业可燃气体和有毒气体检测报警设计规范》GB 50493
《钢铁企业总图运输设计规范》GB 50603

《钢铁企业节能设计规范》GB 50632

《钢铁企业冶金设备基础设计规范》GB 50696

《钢铁企业给水排水设计规范》GB 50721

《型钢验收、包装、标志及质量证明书的一般规定》GB/T 2101

《用安装在圆形截面管道中的差压装置测量满管流体流量》GB/T 2624

《安全标志及其使用导则》GB 2894

《固定式钢梯及平台安全要求》GB 4053

《工业企业煤气安全规程》GB 6222

《电能质量 电压波动和闪变》GB/T 12326

《钢铁工业水污染物排放标准》GB 13456

《电能质量 公用电网谐波》GB/T 14549

《固定污染源排气中颗粒物测定与气态污染物采样方法》GB/T 16157

《深度冷冻法生产氧气及相关气体安全技术规程》GB 16912

《电离辐射防护与辐射源安全基本标准》GB 18871

《轧钢工业大气污染物排放标准》GB 28665

《工业企业设计卫生标准》GBZ 1

《工作场所有害因素职业接触限值》GBZ 2.1

《工业场所有害因素职业接触限值》GBZ 2.2

《黑色金属冶炼及压延工业　职业卫生防护技术规范》GBZ/T 231

《轧钢安全规程》AQ 2003

《危险场所电气防爆安全规范》AQ 3009

《热轧钢坯尺寸、外形、重量及允许偏差》YB/T 002

《连续铸钢方坯和矩形坯》YB/T 2011

中华人民共和国国家标准

型钢轧钢工程设计规范

GB 50410 - 2014

条 文 说 明

制订说明

《型钢轧钢工程设计规范》GB 50410—2014，经住房城乡建设部2014年12月2日以第586号公告批准发布。

本规范是在《小型型钢轧钢工艺设计规范》GB 50410—2007的基础上修订而成，上一版的主编单位是中冶南方工程技术有限公司，参编单位是中冶华天工程技术有限公司、中冶东方工程技术有限公司等，主要起草人是雷达林、黄东城等。

为便于广大设计、施工、科研、学校等单位有关人员在使用本规范时能正确理解和执行条文规定，规范编制组按章、节、条顺序编制了本规范的条文说明，对条文规定的目的、依据以及执行中需注意的有关事项进行了说明，还着重对强制性条文的强制性理由做了解释。但是，本条文说明不具备与规范正文同等的法律效力，仅供使用者作为理解和把握规范规定的参考。

目　次

1 总 则

1.0.1 2004 年 1 月 1 日我国实施《中国钢铁工业生产统计指标体系》，有关钢材品种的分类见表 1：

表 1 2004 年《体系》钢材品种分类

<table>
<tr><td></td><td>2004 年《体系》钢材品种分类</td></tr>
<tr><td rowspan="2">铁道用钢材</td><td>其他钢材</td></tr>
<tr><td>铁道用钢材</td></tr>
<tr><td rowspan="4">普通大型钢材
普通中型钢材
普通小型钢材
优质钢型材</td><td>棒材</td></tr>
<tr><td>钢筋</td></tr>
<tr><td>大型型钢</td></tr>
<tr><td>中小型型钢</td></tr>
<tr><td>冷弯型钢材</td><td>其他钢材</td></tr>
<tr><td>线材</td><td>线材（盘条）</td></tr>
</table>

参照上述钢材品种分类，本规范包括的产品为：棒材、钢筋、大型型钢、中小型型钢、钢轨。

1.0.2 本规范范围内的钢材为热压延加工钢材，加工方式为轧制。

3 基本规定

3.0.3 连铸坯热送热装具备3个基本条件：

(1)无缺陷连铸坯生产技术。

(2)连铸、轧钢工序生产能力基本均衡。

(3)合理的装炉温度。

按照连铸坯的显热利用程度和热送温度，连铸坯热送热装分为3类：

(1)直接轧制或补热直接轧制。

连铸坯切割后立即送入补热装置，装炉温度900℃～1000℃。

(2)直接热送热装。

连铸车间与轧钢车间紧凑布置，连铸坯切割后通过辊道或其他方式运至轧钢车间加热炉，在连铸和轧钢工序间可另设保温炉、保温台架等缓冲设施，装炉温度600℃～900℃。

(3)热送热装。

连铸车间与轧钢车间距离较远，热态(温态)连铸坯采用保温车运至轧钢车间，装炉温度400℃～600℃。

3.0.4 因存在生产效率低，操作环境恶劣，且产品质量不易控制等缺点，《部分工业行业淘汰落后生产工艺装备和产品指导目录(2010年本)》将横列式棒材和型材轧机、三辊横列式型线材轧机(不含特殊钢生产)列为钢铁行业需要淘汰的落后生产工艺设备。本条为强制性条文，应严格执行。

3.0.6 型钢产品标准主要有：

(1)《初轧坯尺寸、外形、重量及允许偏差》YB/T 001

(2)《热轧钢坯尺寸、外形、重量及允许偏差》YB/T 002

(3)《热轧钢棒尺寸、外形、重量及允许偏差》GB/T 702

(4)《热轧型钢》GB/T 706

(5)《钢筋混凝土用钢　第1部分:热轧光圆钢筋》GB 1499.1

(6)《钢筋混凝土用钢　第2部分:热轧带肋钢筋》GB 1499.2

(7)《铁路用热轧钢轨》GB 2585

(8)《铁塔用热轧角钢》YB/T 4163

(9)《矿山巷道支护用热轧U型钢》GB/T 4697

(10)《履带用热轧型钢》YB/T 5034

(11)《热轧310乙字型钢》YB/T 5182

(12)《汽车车轮轮辋用热轧型钢》YB/T 5227

(13)《热轧球扁钢》GB/T 9945

(14)《热轧H型钢和剖分T型钢》GB/T 11263

(15)《热轧轻轨》GB/T 11264

(16)《钢筋混凝土用余热处理钢筋》GB 13014

(17)《热轧钢板桩》GB/T 20933

4 小型型钢

4.1 生产规模及产品

4.1.1 根据现行国家标准《钢分类》GB/T 13304 和 2004 年 1 月 1 日实施的《中国钢铁工业生产统计指标体系》，钢按化学成分和质量等级分为“四类八级”，钢种分类应符合表 2 的规定。

表 2 《中国钢铁工业生产统计指标体系》钢种分类表

钢　类	质量等级
非合金钢	1. 普通质量；2. 优质质量；3. 特殊质量
低合金钢	1. 普通质量；2. 优质质量；3. 特殊质量
合金钢	1. 优质质量；2. 特殊质量
不锈钢	

4.2 坯　　料

4.2.2

1 以普通质量非合金钢和普通质量低合金钢为主要钢种的小型型钢生产线宜采用一种断面的坯料，合金钢小型棒材生产线根据需要可采用多种断面的坯料。

3 轧制坯和锻造坯不受本条文限制。

4.3 生产工艺

4.3.2

3 第 1 架粗轧机咬入轧制速度不应低于 0.08m/s。当生产合金工具钢、马氏体不锈钢时，第 1 架粗轧机咬入轧制速度不应低于0.2m/s，在此条件下变形速度较快，轧件表面温降较小，可避免产生表面裂纹。

4 根据产品特征，小型型钢生产线可分为5种基本类型：

(1)小规格型钢生产线。

主要品种：小规格型钢、棒材；

轧制速度：Max. 18m/s；

基本特征：通过采用平立可转换轧机、万能轧机等实现不同轧制方式组合，精整采用在线多条矫直机和冷飞剪、冷剪或冷锯多种组合。

(2)高速棒材生产线。

主要品种：ϕ8mm～32mm圆钢和钢筋；

轧制速度：Max. 40m/s；

基本特征：采用无扭精轧机组和高速冷床上料系统。

(3)钢筋生产线。

主要品种：ϕ10mm～50mm圆钢和钢筋；

轧制速度：Max. 18m/s；

基本特征：小规格钢筋采用切分轧制工艺。

(4)合金钢棒材生产线。

主要品种：小规格圆钢、扁钢；

轧制速度：Max. 18m/s；

基本特征：采用高刚度轧机和无扭轧制工艺，采用先进的控轧控冷技术，设有高精度轧制装备、离线精整及热处理设施。

(5)棒卷复合生产线。

主要品种：ϕ12mm～50mm圆钢和钢筋；

轧制速度：Max. 18m/s；

基本特征：采用高刚度轧机和无扭轧制工艺，单线轧制，大盘卷可采用卷取机进行卷取，成品可按直条或盘卷状态交货。

7 控轧控冷是控制产品的金相组织、提高产品机械性能的重要手段，应根据不同的钢种制定不同的轧制制度和冷却制度。

4.5 工作制度、工作时间及负荷率

4.5.2

(1)年日历时间按每年 365d(8760h)计算。

(2)年规定工作时间为年日历时间与年计划大、中、小修时间之差。

(3)年额定工作时间为年规定工作时间与交接班时间、换辊(槽)、换导卫时间以及机电事故、操作事故等停工时间之差。

(4)年轧制时间为完成计划年产量所需的轧机工作时间(含前后两根轧件头尾的间隙时间)。

4.5.3 轧机负荷率为完成设计能力所需的轧机年轧制时间与年额定工作时间之比。

5 中型型钢

5.1 生产规模及产品

5.1.1 随着中型型钢技术装备的完善和管理操作水平的提高，新建中型型钢轧机实际生产能力通常超过50万t/a。

5.3 生产工艺

5.3.1

1 脱头连续式生产线代表布置模式有5+8布置模式、5+10布置模式；半连续式生产线代表布置模式有1+7布置模式、1+10～12布置模式；串列式生产线代表布置模式有1(2)+3布置模式、1(2)+3+1布置模式；多机架单独布置生产线代表布置模式有1+1+1+1布置模式。

5.3.2

4 设置轮廓仪有利于产品质量的监控。

5 型钢轧件下冷床温度不应高于80℃。

7 大型型钢

7.2 坯　　料

7.2.2

1 以规格靠近上限的H型钢为主的生产线宜选用异形坯；以规格靠近下限的H型钢为主的生产线可选用方坯或矩形坯；以普通槽钢、角钢为主的生产线宜选用矩形坯或方坯；以钢轨为主的生产线宜选用矩形坯；以钢板桩为主的生产线可选用异形坯或板坯。生产线坯料规格不宜多于4种。

7.3 生产工艺

7.3.3

1 大型型钢均需在线矫直，其下冷床温度不应高于80℃，钢轨下冷床温度不应高于60℃。

8 大型棒材

8.1 生产规模及产品

8.1.3 大型棒材生产线产品规格上限不宜小于 ϕ150mm。

8.2 坯 料

8.2.1 非合金钢、低合金钢、优质合金钢和部分特殊质量合金钢、部分不锈钢大型棒材宜采用连铸坯作为坯料；部分特殊质量合金钢、部分不锈钢大型棒材宜采用钢锭或锻坯作为坯料；不应单独采用钢锭或锻坯作为坯料。

9 供配电设施

9.0.2 突然断电时煤气或油气可能灌入风机引起爆炸的加热炉助燃风机、断电会烧坏设备的加热炉等设备的冷却水泵和汽化装置冷却水泵负荷为一级负荷;轧机及辅传动负荷为二级负荷;轧辊间负荷为三级负荷;自动化控制系统、重要检测仪表、IP 通信系统的交换机和电话机,宜采用 UPS 电源作为应急电源,其后备时间应能满足工作电源停电后的应急处理需要。

9.0.5 当供电电压大于 35kV 时,对于规模较小的工程一般采用直接降至 10kV 作为整个工程的配电电压。对于规模较大的工程,因轧机主传动容量较大,采用 35kV 配电电压更加合理。

9.0.9 照明采用专用变压器供电,可以保证照明质量;起重机冲击负荷较大,对其他用电设备会造成影响,所以采用专用的变压器供电。

10 电气传动及自动化系统

10.1 电 气 传 动

10.1.1 交流电动机具备单台容量大、维护量小、效率高、运行稳定可靠的特点。但考虑到节省建设投资因素，主传动用中、小型电动机可采用直流传动方式。

10.2 自动化仪表

10.2.4

2 若采用氮气作为仪表气源时，必须采取相应的安全措施(如强制通风、设置警示标识)以确保人身安全。本条为强制性条文，应严格执行。

10.3 自动化系统

10.3.4 工艺区过程控制主要包括轧机设定计算、轧制表编辑及修改功能；生产管理模块主要包括生产序列计划、产品跟踪、生产大纲可视化、延时跟踪功能；报表主要包括生产报表、工具报表、停机报表功能；换班及人员管理主要包括班次编制及每班的人员安排功能；与外部系统的数据通信主要包括与基础自动化系统、MES 系统的通信。

10.3.5 制造执行系统应用软件的参考功能如下：

1 生产计划管理。系统负责编制各工艺单元作业计划，对编制完成的作业计划进行维护、锁定、释放、动态调整。

2 质量管理。确定质量控制参数，进行质量跟踪、质量判定、打印质保书。

3 生产实绩管理。实时收集各工艺单元的生产实绩，对物料进行实时跟踪，生产实绩包括生产过程数据、物料移动数据、质检数据。

4 库存管理。对原料库、成品库、备件库中的物品入库、出库、倒库等过程建立各类台账，予以管理。

5 设备管理。对轧辊等关键设备进行全生命周期管理。包括设备采购、入库、出库、使用、维修、报废等过程。

6 能源管理。自动收集、存储、处理、统计和显示能源介质消耗数据。

7 报表管理。按数据统计条件，自动生成统计图/表，系统支持定制的统计结果输出格式。

11 电讯设施

11.1 电话系统

11.1.1 钢铁企业的通信体制是由企业的生产管理模式决定的。目前国内大多数钢铁企业均在二级生产厂设置调度机构并设置二级生产厂调度电话系统，但少数国企及部分私企仅有全公司性的生产调度机构和仅配置全公司性的调度电话系统，炼钢、轧钢等二级生产单元不设置调度机构和配置调度电话系统。因此型钢厂是否设调度电话系统，应由企业生产管理方式和调度体制确定。

11.1.4 IP电话的实时语音传输带宽需求很低，却需要一个恒定的或直接可用的带宽，同时语音通信对网络延时、丢包率等都有一定要求，因此IP电话系统需要做QoS保证。

11.2 有线对讲系统

11.2.1 无主机型有线对讲系统（无中心交换机系统）对讲通信的建立一般是由主叫用户通过对全体用户广播呼叫来寻找到被叫用户，从而建立起对讲通信的。当系统越大，用户越多时，系统的广播呼叫就越频繁，对无关用户的广播干扰就越发严重。因此本规范规定小型型钢厂或一个系统的用户话站不超过15个时可采用无主机型有线对讲系统，否则宜采用有主机型有线对讲系统。

11.2.4 操作室等应用环境较好且有操作台的环境宜采用嵌入式或台式对讲话站，其防护级别不低于IP40；无操作台且使用环境较好的电气室等场所，宜采用室内壁挂型话站，其防护级别不低于IP40；机组作业线现场操作台（箱）环境较恶劣处，宜采用防风雨型话站，其防护级别不低于IP65。

12 公辅设施

12.3 燃气设施

12.3.3 管道氮气具有供应及时、调节方便的优点。液氮气化、汇流排、变压吸附制氮等氮气供应方式若不设置氮气储罐，时间上有滞后，不能及时供给，影响安全生产。

12.6 采暖、通风与空调设施

12.6.4

2 当利用余热或天然热源采暖时，采暖热媒及其参数可以根据具体情况确定。

12.6.6

4 为避免电气室、仪表室、计算机室等电气设备进水，应避免空调机冷却水管道穿越电气室、仪表室、计算机室等房间；空调送风管除采取保温措施防结露外，也不应布置在电气柜上方。

13 建筑与结构

13.2 主 厂 房

13.2.2 主厂房一般跨度在18m～36m，基本柱距为12m～15m，跨度及柱距均较大，采用钢结构可以减小厂房结构各个系统的构件断面，减少结构自重，并获得较大的工艺布置空间，且对抗震有利。

13.2.6 主厂房建筑围护结构热工设计应结合不同地区的气象条件，合理选用节能技术，并与所在地区的气候相适应，防止由于围护结构设计不合理，产生过热和结露。

13.2.7 主厂房内不同生产机组散热负荷不一样，散热负荷大的区域适当加大通风天窗和进风窗面积，甚至可下部敞开，以组织良好自然通风。

13.2.9 由于主厂房的面积较大，应根据不同工艺段的要求进行地面设计。不同地段可采用不同面层，如细石混凝土、涂料、贴面等。地面垫层厚度应根据地面荷载分别确定。

13.2.12 设备基础应按规范设置伸缩缝，因工艺及设备要求不允许设置伸缩缝的超长、超宽设备基础，应设置后浇带或膨胀带分段施工。

14　安全、卫生与环保

14.1　一般规定

14.1.1　型钢轧钢工程设计必须坚持“安全第一，预防为主，防治结合”的方针，完善项目安全设施和职业病防治设施设计，提高项目本质安全程度。

统一书号:1580242·592

定　　价:15.00 元

UDC

中华人民共和国国家标准

P

GB 50410－2014

型钢轧钢工程设计规范

Code for design of section steel hot rolling Mills

2014－12－02 发布 2015－08－01 实施

中华人民共和国住房和城乡建设部
中华人民共和国国家质量监督检验检疫总局 联合发布